Portrait au crayon par SAINT-SONGE

Coordination technique : ET Paul SCHPILBERG. 45.45.41.79
Impression imp. NANTES 40 50.70.40
Dépôt légal 2ᵉ trimestre 1986
COPYRIGHT © 1986 EDITIONS TARMEYE Nᵒ d'éditeur : 906029
Editions Tarmeye
43520 MAZET ST VOY
ISBN : 2-906029-00-9

Couverture : Jean-Hubert Paillet
Bustes : Christophe Touraud

GUY DE MAUPASSANT

Nouvelles choisies, tome 1
Bandes dessinées

Aux champs,
par Jean-Hubert PAILLET

Les prisonniers,
par Patrick BALLET

Ma femme,
par Christophe TOURAUD

Le Horla,
par Guillaume BERTELOOT

Éditions TARMEYE

GUY DE
MAUPASSANT

SA VIE

Guy de Maupassant est né au château de Miromesnil, en Seine-Maritime, le 5 août 1850. En 1856, il a un frère, Hervé. Mais, peu après, ses parents se séparent et les deux garçons sont confiés à leur mère qui les élève en leur laissant une grande liberté. C'est elle qui encourage la vocation littéraire de son aîné, tout en lui permettant de vagabonder dans la campagne normande.

A l'âge de treize ans, le jeune homme doit tout de même aller en pension pour parfaire sa scolarité : il entre d'abord au séminaire d'Yvetot et termine ses études au lycée de Rouen. Il passe brillamment son baccalauréat en juillet 1869. Mais peu après, éclate la guerre avec la Prusse.

Maupassant a tout juste vingt ans lorsqu'il assiste à l'invasion de la Normandie qui lui inspirera plusieurs nouvelles célèbres. Après l'armistice, il occupe des postes de fonctionnaire, au ministère de la Marine d'abord, au ministère de l'Instruction Publique ensuite ; il se sent mal à l'aise au milieu d'employés médiocres et rêve de gloire littéraire.

Flaubert, qui était un ami de sa mère, va devenir son maître : il lui enseigne l'art d'écrire et l'aide à se créer des relations dans le monde des lettres. Grâce à Flaubert, Maupassant va trouver sa voie dans le réalisme naturaliste et collabore à divers journaux.

En 1880, il publie dans *Les Soirées de Médan,* recueil de nouvelles écrites par Emile Zola et quelques-uns de ses amis, un récit qui obtient un vif succès : *Boule de Suif.* Dès lors, et pendant dix ans, Maupassant ne quitte plus sa table de travail. Il publie des romans, des nouvelles, des articles ; sa fécondité est prodigieuse.

Mais pour stimuler ses efforts intellectuels, il se drogue au haschich, à l'éther ; dès 1885, il commence à souffrir de troubles nerveux, accumule les médicaments, dont la morphine. Commence alors une déchéance qui ira s'accélérant : Maupassant est victime d'hallucinations, croit voir dans son entourage des êtres mystérieux et menaçants, sombre peu à peu dans la folie de la persécution.

En 1892, après une tentative de suicide, il est interné à Passy, à la clinique du docteur Blanche. Au bout de dix-huit mois d'inconscience entrecoupée de crises qui obligent les infirmiers à lui passer la camisole de force, Maupassant meurt, à l'âge de quarante-trois ans, le 6 juillet 1893.

SON ART

Bien qu'il se soit exercé dans presque tous les genres littéraires, poésie, théâtre, roman, Guy de Maupassant demeure le maître incontesté de la nouvelle.

Si certains de ses contemporains, comme Hugo ou Zola, sont devenus des écrivains engagés, sur le plan social et politique, Maupassant, lui, a choisi l'art pour l'art, la littérature pour la littérature. A l'école de Flaubert, il a appris à peindre — on pourrait presque dire photographier — la réalité, en employant le mot le plus juste, le terme le plus précis, et en pesant la place de chaque virgule. Avec le même souci du détail, il décrit à la fois le cadre extérieur et l'âme intérieure. Il porte sur les hommes, comme sur les idées et les coutumes, des jugements sévères, froids et secs. S'il arrive parfois à émouvoir le lecteur, on dirait que lui-même, en tant qu'auteur, écrit sans émotion. Il passe presque sans transition de la gaieté à la tristesse, de la verve gauloise à la finesse distinguée, du gros comique de farce aux descriptions macabres. Peu d'écrivains ont une œuvre aussi riche et variée, aussi bien sur le plan des sujets traités que sur le plan des tons employés.

Par la sobriété de son style, son sens de la mesure, son goût pour la raison et sa recherche de la vérité, l'on peut dire de Maupassant qu'il a été un écrivain classique, au cœur de l'époque romantique.

BIBLIOGRAPHIE

Les œuvres de Maupassant les plus connues sont :
Romans : *Une vie* (1883) ; *Bel-Ami* (1885) ; *Mont-Oriol* (1887) ; *Pierre et Jean* (1888).
Recueils de nouvelles : *Boule de Suif* (1880) ; *La Maison Tellier* (1881) ; *Mademoiselle Fifi* (1882) ; *Contes de la bécasse* (1883) ; *Les Sœurs Rondoli* (1884) ; *Miss Harriet* (1884) ; *Toine* (1885) ; *Le Horla* (1887) ; *Le Rosier de Madame Husson* (1888).

Aux Champs

Les deux chaumières étaient côte à côte, au pied d'une colline, proches d'une petite ville de bains. Les deux paysans besognaient dur sur la terre féconde pour élever tous leurs petits. Chaque ménage en avait quatre. Devant les deux portes voisines, toute la marmaille grouillait du matin au soir.

J.H. Paillet

Par un après-midi du mois d'août, une légère voiture s'arrêta brusquement devant les deux chaumières.

Oh ! regarde, Henri, ce tas d'enfants ! sont-ils jolis, comme ça, à grouiller dans la poussière.

Il faut que je les embrasse!

Oh! comme je voudrais en avoir un, celui-là, le tout petit.

Ouin!

Elle revint la semaine suivante, revint encore, fit connaissance avec les parents, reparut tous les jours, les poches pleines de friandises et de sous. Elle s'appelait Mme Henri d'Hubières.

Un matin

Mes braves gens, je viens vous trouver parce que je voudrais bien... je voudrais bien emmener avec moi votre...

votre petit garçon.

Nous n'avons pas d'enfants ; nous sommes seuls, mon mari et moi... Nous le garderions... voulez-vous ?

Vous voulez nous prend'e Charlot ? Ah ! ben non, pour sûr.

Ma femme s'est mal expliquée. Nous voulons l'adopter. S'il tourne bien, il sera notre héritier. Mais s'il ne répondait pas à nos soins, nous lui donnerions, à sa majorité, une somme de vingt mille francs.

Et, comme on a aussi pensé à vous, on vous servira jusqu'à votre mort une rente de cent francs par mois...

Avez-vous bien compris ?

5

Vous voulez que j'vous vendions Charlot ?
Ah ! mais non ; c'est pas des choses qu'on
d'mande à une mère, ça ! Ah ! mais non !

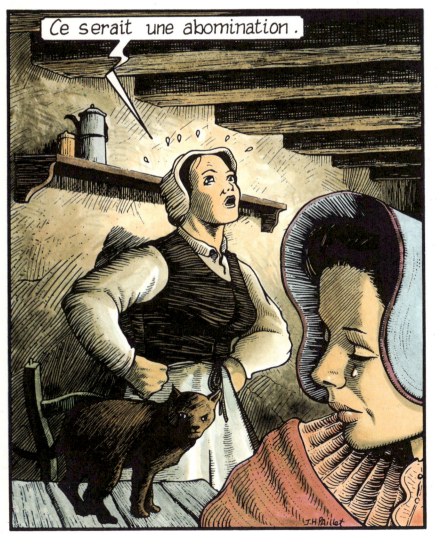

Ce serait une abomination.

Ils ne veulent pas, Henri, ils
ne veulent pas !

Mais, mes amis, songez à
l'avenir de votre enfant, à son
bonheur, à ...

C'est tout vu, c'est tout entendu, c'est tout réfléchi... Allez-vous-en, et pi, que j'vous revoie point parici.

C'est-i permis d'vouloir prendre un éfant comme ça!

Mais l'autre petit n'est pas à vous?

Non, c'est aux voisins; vous pouvez y aller si vous voulez.

Les Vallin étaient à table. M. d'Hubières recommença ses propositions, mais avec plus d'insinuations, de précautions oratoires, d'astuce.

Qué qu't'en dis, l'homme?

J'dis qu'c'est point méprisable.

C'te rente de douze cents francs ce s'ra promis d'vant l'notaire ?

Mais certainement, dès demain.

Cent francs par mois, c'est point suffisant pour nous priver du p'tit.

Ça travaillera dans quéqu'z'ans, ct'éfant; i nous faut cent vingt francs.

Mme d'Hubières les accorda tout de suite ; et , comme elle voulait enlever l'enfant, elle donna cent francs en cadeau pendant que son mari faisait un écrit. Le maire et un voisin, appelés aussitôt, servirent de témoins complaisants.

OUIN !

On n'entendit plus du tout parler du petit Jean Vallin.

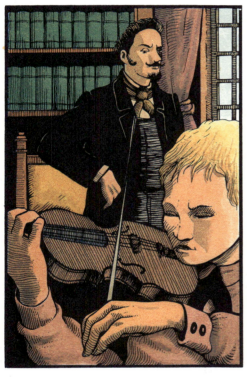

Les parents, chaque mois, allaient toucher leurs cent vingt francs chez le notaire ; et ils étaient fâchés avec leurs voisins parce que la mère Tuvache les agonisait d'ignominies.

Il faut être dénaturé pour vendre son éfant, c'est une horreur, une saleté, une corromperie.

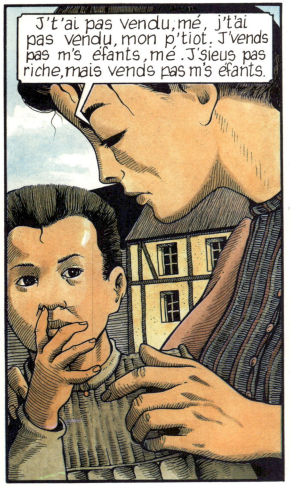

J't'ai pas vendu, mé, j't'ai pas vendu, mon p'tiot. J'vends pas m's éfants, mé. J'sieus pas riche, mais vends pas m's éfants.

J'sais ben que c'était engageant, c'est égal, ellé s'a conduite comme une bonne mère.

J.H. Paillet

Charlot, élevé dans cette idée qu'on lui répétait sans répit, se jugeait lui-même supérieur à ses camarades, parce qu'on ne l'avait pas vendu.

J.H. Paillet

Il prenait vingt et un ans, quand, un matin, une brillante voiture s'arrêta devant les deux chaumières.

C'est là, mon enfant, à la seconde maison.

Bonjour, papa ; bonjour, maman.

C'est-i té, m'n éfant ? C'est-i té, m'n éfant ?

Bonjour, maman.

Te v'là-t'i revenu Jean ?

9

Les parents voulurent tout de suite sortir le fieu(*) dans le pays pour le montrer.

Faut-i qu'vous ayez été sots pour laisser prendre le p'tit aux Vallin !

J'voulions point vendre not'éfant !

C'est-i pas malheureux d'être sacrifié comme ça !

Vas-tu pas nous r'procher d't'avoir gardé ?

Oui, j'vous le r'proche, que vous n'êtes que des niants. Des parents comme vous, ça fait l'malheur des éfants. Qu'vous mériteriez que j'vous quitte.

(*) Le fieu : le fils, en patois normand.

Tuez-vous donc pour élever d's éfants!

J'aimerais mieux n'être point né que d'être c'que j'suis. Quand j'ai vu l'autre, tantôt, mon sang n'a fait qu'un tour. Je m'suis dit : v'là c'que j'serais maintenant !

Tenez, j'sens bien que je ferai mieux de n'pas rester ici, parce que j'vous le reprocherais du matin au soir, et que j'vous ferais une vie d'misère. Ça, voyez-vous, j'vous l'pardonnerai jamais !

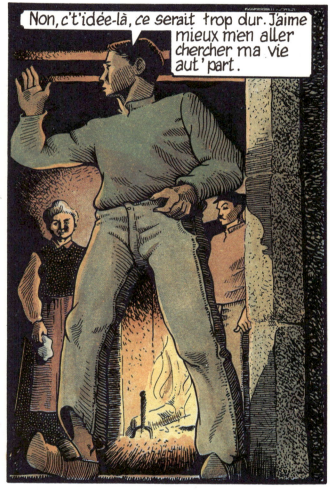

Non, c't'idée-là, ce serait trop dur. J'aime mieux m'en aller chercher ma vie aut'part.

Manants, va !

Fin

Aucun bruit dans la forêt que le frémissement
léger de la neige tombant sur les arbres.
Elle tombait depuis midi : une petite neige
fine qui poudrait les branches d'une mousse
glacée.

Les Prisonniers

Devant la porte de la maison forestière,
une jeune femme, les bras nus, cassait
du bois à coups de hache sur une pierre.
Elle était grande, mince et forte, une
fille de forêts, fille et femme de forestiers.

Nous sommes seules,
ce soir, Berthine, faut
rentrer, v'là la nuit,
y a p't-être bien des
Prussiens ou des loups
qui rôdent.

J'ai fini, m'man.
Me vl'à, me vl'à
y a pas de crainte,
il fait encore jour.

Puis elle rapporta ses
fagots et ses bûches.

J'aime pas, quand le père
est dehors.
Deux femmes ça n'est
pas fort.

Oh! je tuerais ben
un loup ou un
Prussien tout de même.

P. Ballet

— 14 —

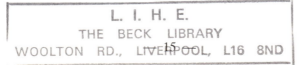

La forestière n'avait pas le choix; elle fit glisser vivement le gros verrou, puis tirant le lourd battant, elle aperçut dans l'ombre pâle des neiges, six hommes, six soldats prussiens; les mêmes qui étaient venus la veille.

Qu'est-ce que vous venez faire à cette heure-ci ?

Che suis berdu, tout à fait berdu. Ché regonnu la maison. Che n'ai rien manché tepuis ce matin, mon tétachement non blus.

C'est que je suis toute seule avec maman, ce soir.

Ça ne fait rien. Che ne ferai bas de mal, mais fous nous ferez à mancher. Nous dombons te faim et te fatigue.

Entrez ... Asseyez-vous je vais vous faire de la soupe. C'est vrai que vous avez l'air rendus.

— 16 —

Les six hommes avaient posé leurs fusils et leurs casques dans un coin, et ils attendaient; sages comme des enfants sur les bancs d'une école.

Ils mangèrent voracement, avec des bouches fendues jusqu'aux oreilles pour en avaler davantage.

HAM SLEUP MIAM MIAM

Mais comme ils avaient soif, la forestière descendit à la cave leur tirer du cidre.

SEEULP MIAAM SCREUMCH MIAAM

Elle y resta longtemps; c'était un petit caveau voûté qui, pendant la Révolution, avait servi de prison et de cachette.

Quand Berthine reparut, elle riait, elle riait toute seule, d'un air sournois. Et elle donna aux Allemands sa cruche de boisson.

Puis elle soupa aussi, avec sa mère, à l'autre bout de la cuisine.

Les soldats avaient fini de manger,
et ils s'endormaient tous les six,
autour de la table.

De temps en temps,
un front tombait sur la
planche avec un bruit
sourd, puis l'homme,
réveillé brusquement
se redressait.

BONG

Couchez-vous devant le feu pardi,
y a bien d'la place pour six.
Moi je grimpe à ma chambre
avec maman.

Les Prussiens s'étendirent sur le pavé, les pieds
au feu, la tête supportée par leurs manteaux
roulés.

Ils dormaient certes depuis
longtemps déjà quand
un coup de feu retentit...

BLAM

P. Fallet

La porte du premier s'ouvrit brusquement, et la forestière parut...

V'là les Français, ils sont au moins deux cents. S'ils vous trouvent ici, ils vont brûler la maison. Descendez dans la cave bien vite, et faites pas de bruit. Si vous faites du bruit, nous sommes perdus.

Che feux pien, che feux pien. Par où faut-il tescendre ?

La jeune femme souleva avec précipitation la trappe étroite et carrée, et les six hommes disparurent par le petit escalier tournant, s'enfonçant dans le sol l'un après l'autre, à reculons, pour bien tâter les marches du pied.

Mais quand la pointe du dernier casque eut disparu, Berthine, rabattant la lourde planche de chêne, épaisse comme un mur, dure comme de l'acier, maintenue par des charnières et une serrure de cachot, donna deux longs tours de clef, puis elle se mit à rire, d'un rire muet et ravi, avec une envie folle de danser.

P. Ballet
6

Berthine aussitôt ralluma son feu, remit dessus sa marmite, et refit de la soupe.

Le père s'ra fatigué cette nuit.

Puis elle s'assit et attendit. Seul, le balancier sonore de l'horloge promenait dans le silence son tic-tac régulier.

Les Prussiens commençaient à deviner sa ruse, et bientôt...

OUFREZ!

BOUM

Che n'oufre pas!

OUFREZ ou che gasse la borté!

AH AH AH

Casse, mon bonhomme, casse, mon bonhomme.

La jeune femme alla ouvrir la porte du dehors et elle tendit l'oreille dans la nuit.

Un aboiement lointain lui parvint. Elle se mit à siffler comme aurait fait un chasseur, et, presque aussitôt, deux énormes chiens surgirent...

WOUAF WOUAF

RPFEUIIIIT

P. Forlet 86

— 20 —

OHÉ PÈRE !

OHÉ BERTHINE !

Passe pas devant le soupirail. Y a des Prussiens dans la cave.

Des Prussiens dans la cave ? Qué qui font ?

C'est ceux d'hier. Ils s'étaient perdus dans la forêt, je les ai mis au frais dans la cave.

Et elle conta l'aventure, comment elle les avait effrayés avec des coups de révolver et enfermés dans le caveau.

Qué que tu veux que j'en fassions à c't'heure ?

Va quérir M. Lavigne avec sa troupe. Il les fera prisonniers. C'est lui qui sera content.

C'est vrai qu'i sera content.

T'as de la soupe, mange-la vite et pi repars.

Un quart d'heure plus tard.

P. Ballet 86

Les prisonniers recommençaient à s'agiter. Ils criaient maintenant, appelaient, battaient sans cesse de coups de crosse furieux la trappe inébranlable.

BOUM BOUM

Le père était parti depuis une heure et demie. Il avait atteint la ville maintenant. Elle croyait le voir. Il racontait la chose à M. lavigne, qui pâlissait d'émotion et sonnait sa bonne pour avoir son uniforme et ses armes.

Ils peuvent être ici dans une heure.

Le temps qu'elle avait fixé pour leur arrivée fut marqué par l'aiguille.
Et elle ouvrit de nouveau la porte, pour les écouter venir.

Enfin le gros de la troupe se montra, en tout deux cents hommes, portant chacun deux cents cartouches.

Passez pas devant le soupirail.

M. Lavigne, agité, frémissant, les disposa de façon à cerner de partout la maison.

M. Lavigne avait pris le grade de commandant-major de la ville voisine, Rethel, et, tous les jeunes hommes étant partis à l'armée, il avait en-régimenté tous les autres qui s'entraînaient pour la résistance.

Puis il entra dans l'habitation et s'informa de la force et de l'attitude de l'ennemi.

P. Ballet
86 9

Ce fut en vain. Pendant vingt minutes il somma cet officier silencieux de se rendre avec armes et bagages, en lui promettant la vie sauve et les honneurs militaires pour lui et ses soldats. Mais il n'obtint aucun signe de consentement ou d'hostilité. La situation devenait difficile.

Les soldats-citoyens battaient la semelle dans la neige, se frappaient les épaules à grands coups de bras, comme font les cochers pour s'échauffer, et ils regardaient le soupirail avec une envie grandissante et puérile de passer devant.

Un d'eux, enfin, se hasarda, un nommé Potdevin qui était très souple. Il prit son élan et passa en courant comme un cerf. La tentative réussit. Les prisonniers semblaient morts.

Alors ce fut un jeu. De minute en minute, un homme se lançant passait d'une troupe dans l'autre comme font les enfants en jouant aux barres...

À TOI MALOISON !

Maloison était un gros boulanger dont le ventre donnait à rire aux camarades.

Il hésitait. On le blagua. Alors, prenant son parti il se mit en route.

P. Boulet
86 10

— 23 —

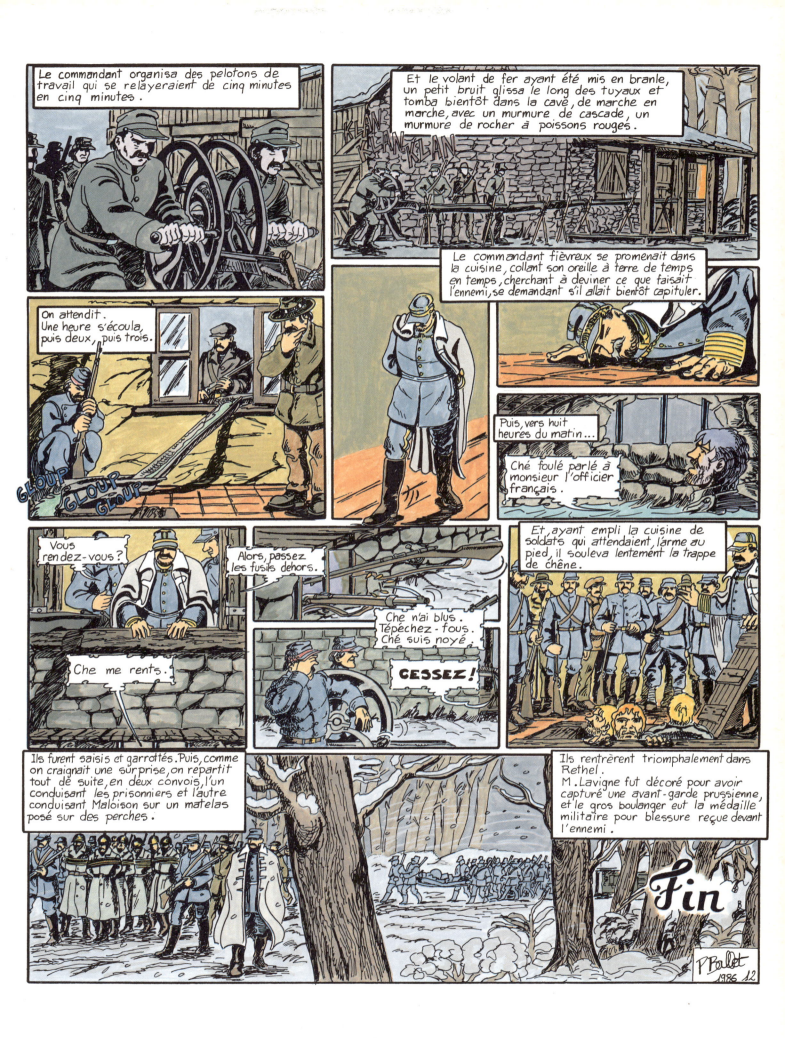

Le commandant organisa des pelotons de travail qui se relayeraient de cinq minutes en cinq minutes.

Et le volant de fer ayant été mis en branle, un petit bruit glissa le long des tuyaux et tomba bientôt dans la cave, de marche en marche, avec un murmure de cascade, un murmure de rocher à poissons rouges.

Le commandant fiévreux se promenait dans la cuisine, collant son oreille à terre de temps en temps, cherchant à deviner ce que faisait l'ennemi, se demandant s'il allait bientôt capituler.

On attendit.
Une heure s'écoula, puis deux, puis trois.

GLOUP GLOUP GLOUP

Puis, vers huit heures du matin...

Ché foulé parlé à monsieur l'officier français.

Vous rendez-vous ?

Alors, passez les fusils dehors.

Et, ayant empli la cuisine de soldats qui attendaient, l'arme au pied, il souleva lentement la trappe de chêne.

Che me rents.

Che n'ai blus. Tépéchez-fous. Ché suis noyé.

CESSEZ !

Ils furent saisis et garrottés. Puis, comme on craignait une surprise, on repartit tout de suite, en deux convois, l'un conduisant les prisonniers et l'autre conduisant Maloison sur un matelas posé sur des perches.

Ils rentrèrent triomphalement dans Rethel.
M. Lavigne fut décoré pour avoir capturé une avant-garde prussienne, et le gros boulanger eut la médaille militaire pour blessure reçue devant l'ennemi.

Fin

P.Bollet
1986 12

Ma femme

C'était à la fin d'un dîner d'hommes, d'hommes mariés, anciens amis, qui se réunissaient quelquefois sans leurs femmes, en garçons, comme jadis.

On mangeait longtemps, on buvait beaucoup; on parlait de tout, on remuait des souvenirs chauds qui font, malgré soi, sourire les lèvres et frémir le cœur.
On disait:

Te rappelles-tu, Georges, notre excursion à Saint-Germain avec ces deux fillettes de Montmartre?

Parbleu! Si je me le rappelle.

Et on retrouvait des détails, et ceci et cela, mille petites choses qui faisaient plaisir encore aujourd'hui.

On vint à parler du mariage, et chacun dit avec un air sincère:

OH! si c'était à recommencer!

HÉ HÉ

C'est extraordinaire comme on tombe là-dedans facilement. On était bien décidé à ne jamais prendre femme; et puis, on rencontre une jeune fille chez des amis... v'lan! c'est fait. On revient marié.

Juste! c'est mon histoire, seulement j'ai des détails particuliers...

NE TE PLAINS PAS. Tu as bien la plus charmante femme du monde. Tu es, certes, le plus heureux de nous.

Ce n'est pas ma faute.

Comment ça?

C'est vrai que j'ai une femme parfaite mais je l'ai épousée malgré moi.

Allons-donc!

Oui... Voici l'aventure:

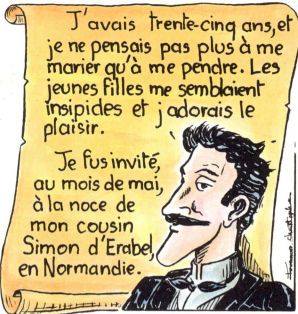

J'avais trente-cinq ans, et je ne pensais pas plus à me marier qu'à me pendre. Les jeunes filles me semblaient insipides et j'adorais le plaisir.

Je fus invité, au mois de mai, à la noce de mon cousin Simon d'Erabel, en Normandie.

Ce fut une vraie noce normande. On se mit à table à cinq heures du soir, à onze heures on mangeait encore.

On m'avait accouplé, pour la circonstance, avec une demoiselle Dumoulin, fille d'un colonel en retraite, jeune personne blonde et militaire, bien en forme, hardie et verbeuse.

Elle m'accapara complètement pendant toute la journée, m'entraîna dans le parc,

me fit danser bon gré, mal gré, m'assomma.

Passe pour aujourd'hui, mais demain je file. Ça suffit.

Vers onze heures du soir, les femmes se retirèrent dans leurs chambres, les hommes restèrent à fumer en buvant, ou à boire en fumant.

②

Par la fenêtre ouverte on apercevait le bal champêtre.

Rustres et rustaudes sautaient en rond, en hurlant, un air de danse sauvage qu'accompagnaient faiblement deux violonistes et une clarinette

Deux grandes barriques, entourées de torches flambantes versaient à boire à la foule.
Sur une table on trouvait du pain, du beurre, des fromages et des saucisses.

Cette fête saine et violente faisait plaisir à voir, donnait envie de boire aussi au ventre de ces grosses futailles.

Un désir fou me saisit de prendre part à ces réjouissances, et j'abandonnai mes compagnons.

J'étais un peu gris, mais je le fus bientôt tout à fait. J'avais saisi la main d'une forte paysanne essoufflée, et je la fis sauter jusqu'à la limite de mon haleine.

Et puis je bus un coup de vin et...

je saisis une autre gaillarde

Pour me rafraîchir ensuite, j'avalai un plein bol de cidre

et je me remis à bondir comme un possédé.

Les filles voulaient toutes danser avec moi et sautaient lourdement avec des élégances de vaches.

Enfin, de ronde en ronde, de verre de vin en verre de cidre, je me trouvai, vers deux heures du matin, pochard à ne plus tenir debout.

Hic Hic

J'eus conscience de mon état et je voulus gagner ma chambre. Le château dormait, silencieux et sombre.

Hic! Hoc! Hic!

Dès que je fus dans le vestibule, des étourdissements me prirent;

je m'assis sur la première marche de l'escalier pour tâcher de classer un peu mes idées. Ma chambre se trouvait au second étage, la troisième porte à gauche...

Je me relevai, non sans peine, et je commençai l'ascension, avec l'idée fixe de ne pas faire de bruit.

Trois ou quatre fois seulement mon pied manqua les degrés et je m'abattis sur les genoux, mais, grâce à l'énergie de mes bras et à la tension de ma volonté, j'évitai une dégringolade.

Enfin j'atteignis le second étage et je m'aventurai dans le corridor en tâtant les murailles.

Voici une porte; je comptais:

Une.

Mais un vertige subit me détacha du mur et me fit accomplir un circuit singulier

qui me jeta sur l'autre cloison.

Je voulus revenir en ligne droite.

La traversée fut longue et pénible. Enfin, je trouvai une autre porte. Pour être sûr de ne pas me tromper, je comptai encore tout haut:

Deux.

Je finis par trouver la troisième et je tournai la clef dans la serrure.

Trois, c'est moi

puisque ça s'ouvre c'est bien chez moi.

Et je m'avançai dans l'ombre après avoir refermé doucement.

Je heurtai quelque chose de mou: ma chaise longue.

Je m'étendis aussitôt dessus, et je m'endormis d'un invincible sommeil.

ZZZZZZ

Cela dura longtemps sans doute. Je fus brusquement réveillé par une voix vibrante qui disait, tout près de moi:

Comment, paresseuse, encore couchée? Il est dix heures, sais-tu?

Une voix de femme répondit:

Déjà! J'étais si fatiguée d'hier.

Je me demandais avec stupéfaction ce que voulait dire ce dialogue. Où étais-je? Qu'avais-je fait? la première voix reprit:

Je vais ouvrir les rideaux.

Et j'entendis des pas qui s'approchaient de moi. Je m'assis tout à fait éperdu. Alors une main se posa sur ma tête.

Je fis un brusque mouvement. La voix demanda avec force:

Qui est là?

Je me gardai bien de répondre. Deux poignets furieux me saisirent.

A mon tour, j'enlaçai quelqu'un et une lutte effroyable commença.

Nous nous roulions renversant les meubles, heurtant les murs:

BLAM!

5

Au secours, au secours!

Des domestiques accoururent, des voisins, des dames affolées. On ouvrit les volets, on tira les rideaux. Je me colletais avec le colonel Dumoulin!

J'avais dormi auprès du lit de sa fille.

Quand on nous eut séparés, je m'enfuis dans ma chambre, abruti d'étonnement. Je m'enfermai à clef et je m'assis, les pieds sur une chaise, car mes bottines étaient demeurées chez la jeune personne. J'entendais une grande rumeur dans tout le château, des portes ouvertes et fermées, des chuchotements, des pas rapides.

Au bout d'une demi-heure on frappa chez moi.

TOC! TOC!

Qui est là?

C'était mon oncle, le père du marié de la veille. J'ouvris.
Il était pâle et furieux et il me traita durement:

Tu t'es conduit chez moi comme un manant, entends-tu?

Puis il ajouta d'un ton plus doux:

Comment, bougre d'imbécile, tu te laisses surprendre à dix heures du matin! Tu vas t'endormir comme une bûche dans cette chambre au lieu de t'en aller aussitôt... aussitôt après.

Mais, mon oncle, je vous assure qu'il ne s'est rien passé...

Allons, ne dis pas de bêtises.

A mon tour, je me fâchai, et je lui racontai toute ma mésaventure. Il me regardait avec des yeux ébahis, ne sachant pas ce qu'il devait croire.

Puis il sortit conférer avec le colonel.

Il revint une heure plus tard, s'assit avec des allures de juges, et commença:

Quant à ça, jamais par exemple!

C'est d'épouser Mlle Dumoulin.

Quoi qu'il en soit, je ne vois pour toi qu'un moyen de te tirer d'affaires,

Le colonel est résolu à te brûler la cervelle dès qu'il t'apercevra. On ne se met pas dans des situations aussi sottes. De toute façon, la pauvre fille est perdue de réputation, car on ne croira jamais à des explications d'ivrogne. La vraie victime, la seule victime là-dedans c'est elle.

Réfléchis.

Dites tout ce que vous voudrez, Je n'épouserai pas.

HMMMm!

Ce fut ma tante qui vint à son tour. Elle pleurait. On ne pouvait admettre que cette jeune fille eût oublié de fermer sa porte à clef dans une maison pleine de monde. Le colonel l'avait frappée.

BOUUU snif!

C'était un scandale terrible, ineffaçable. Et ma bonne tante ajoutait:

Demande-la toujours en mariage; on trouvera peut-être moyen de te tirer d'affaires en discutant les conditions du contrat.

Cette perspective me soulagea. Et je consentis à écrire ma demande.

Une heure après je repartais pour Paris.

Je fus avisé le lendemain que ma demande était agréée.

Alors, en trois semaines, sans que j'aie pu trouver une ruse, une défaite, les bans furent publiés, les lettres de faire-part envoyées, le contrat signé, et je me trouvai, un lundi matin, dans le chœur d'une église illuminée, à côté d'une jeune fille qui pleurait, après avoir déclaré au maire que je consentais à la prendre pour compagne... jusqu'à la mort de l'un ou de l'autre.

Je ne l'avais pas revue, et je la regardais de côté avec un certain étonnement malveillant.

Cependant, elle n'était pas laide, mais pas du tout. Je me disais :

En voilà une qui ne rira pas tous les jours.

Vers le milieu de la nuit, j'entrai dans la chambre nuptiale avec l'intention de lui faire connaître mes résolutions, car j'étais le maître maintenant.

Elle se leva dès que j'entrai et vint à moi gravement :

Monsieur, je suis prête à faire ce que vous ordonnerez. Je me tuerai si vous le désirez.

HMMM! HMMM

Elle était jolie comme tout dans ce rôle héroïque, la fille du colonel.

Je l'embrassai, c'était mon droit.

Et je m'aperçus bientôt que je n'étais pas volé. Voilà cinq ans que je suis marié. Je ne le regrette nullement encore.

Pierre Létoile se tut. Ses compagnons riaient. L'un d'eux dit :

Le mariage est une loterie; il ne faut jamais choisir les numéros, ceux du hasard sont les meilleurs.

Oui, mais n'oubliez pas que le dieu des ivrognes avait choisi pour Pierre.

HMMM! HMMM...

HO HO

HA HA

HA

⑧

FIN

Le Horla

8 MAI— Quelle journée admirable ! J'ai passé toute la matinée étendu sur l'herbe, devant ma maison, sous l'énorme platane qui la couvre, l'abrite et l'ombrage tout entière.

À gauche, là-bas, Rouen, la vaste ville aux toits bleus, dominée par la flèche de sa cathédrale dont le chant d'airain m'est apporté par la brise...

J'aime ma maison où j'ai grandi, cette terre où j'ai mes racines, ce sol avec ses gens et leurs traditions...

Comme il faisait bon ce matin! Vers onze heures, j'ai vu plusieurs navires sur la Seine, dont un superbe trois-mâts brésilien que je saluai, je ne sais pourquoi, tant il me fit plaisir à voir.

12 MAI - J'ai un peu de fièvre depuis quelques jours, je me sens souffrant, ou plutôt je me sens triste...

Comme il est profond, ce mystère de l'Invisible! Nous ne pouvons le sonder avec nos âmes misérables!

On dirait que l'air, l'air invisible est chargé de menaces. Pourquoi, après une courte promenade, et des envies de chanter dans la gorge, je rentre chez moi, désolé? Quelles sont ces puissances qui agissent sur notre cœur, que nous ne voyons pas et qui pourtant nous accablent, inexplicablement?

AH! Si nous avions d'autres organes pour découvrir les choses autour de nous!

16 MAI - Je suis malade, décidément! J'ai une fièvre atroce qui fait souffrir mon âme et mon corps, et surtout, surtout, j'ai la perpétuelle appréhension de la mort qui approche. Et le pressentiment d'un mal inconnu qui germe dans mon sang et dans ma chair!

18 MAI - Je viens d'aller consulter mon médecin. Il ne trouve aucun symptôme alarmant, sinon le pouls un peu rapide. Je dois prendre des douches et du bromure de potassium.

25 MAI - Aucun changement! Chaque soir, j'ai peur, je ne sais pourquoi. Je ne peux même pas lire, je ne comprends pas les mots. J'ai l'impression que la nuit cache pour moi une menace terrible. J'ai la crainte du sommeil et du lit...

Guillaume Berthelot 85

2

Vers deux heures, je monte dans ma chambre, et je pousse le verrou. J'ai peur... de quoi ?... je ne redoutais rien, jusqu'ici... Je regarde sous mon lit, j'écoute... j'écoute... quoi ?...

Est-ce étrange qu'un petit malaise, peut-être simple, anodin, une toute petite perturbation dans le fonctionnement si imparfait de notre machine humaine puisse nous changer si radicalement ?!...

Puis je me couche et j'attends le sommeil, comme on attendrait le bourreau. Avec épouvante, jusqu'au moment où je sombre dans le repos ; je ne le sens pas venir comme autrefois, ce sommeil perfide qui me guette, qui va m'anéantir...

Je dors - longtemps - deux ou trois heures - puis un rêve - non, un cauchemar - m'étreint. Je sens bien que je dors, et je sens aussi que quelqu'un s'approche de moi, s'agenouille sur mon lit, me prend le cou entre ses mains et serre... serre de toute sa force.

Moi, je me débats, lié par cette impuissance atroce qui nous paralyse dans les songes - je veux crier - je ne peux pas - ...

J'essaye avec des efforts affreux de me retourner, de rejeter...

... cet être qui m'écrase, et veut m'étrangler - je ne peux pas ! -

Et soudain, je m'éveille, affolé, couvert de sueur - J'allume une bougie - Je suis seul.

Après cette crise qui se renouvelle toutes les nuits, je dors enfin, avec calme, jusqu'à l'aurore...

2 Juin— Mon état s'est encore aggravé. Qu'ai-je donc? Tantôt, j'allai faire un tour dans la forêt de Roumare, pour fatiguer mon corps.

Un frisson me saisit soudain, non pas de froid, mais un étrange frisson d'angoisse...

Je hâtai le pas, apeuré sans raison, et il me sembla tout à coup que j'étais suivi...

Je me retournai brusquement. J'étais seul. Il n'y avait que les arbres derrière moi, hauts et effrayants...

Je fermai les yeux. Pourquoi? Je me mis à tourner comme une toupie; je faillis tomber. Les arbres dansaient, la terre flottait; je dus m'asseoir.

Je ne savais plus par où j'étais venu! Bizarre idée! Bizarre! Enfin, je repartis...

3 Juin — 2 Juillet — J'ai pensé qu'un petit voyage me remettrait. J'ai visité le mont Saint-Michel, que je ne connaissais pas.

Quelle vision quand on le voit à la fin du jour!

Dès l'aurore, j'allai vers lui. Je gravis la grande rue et entrai dans la surprenante et admirable abbaye dont les clochetons et les tours lançaient leurs têtes bizarres hérissées de chimères vers le ciel.

Mon père, comme vous devez être bien ici!

... ai-je dit au moine qui m'accompagnait jusqu'au sommet.

Il y a beaucoup de vent, monsieur...

Et il me conta une vieille légende qui me frappa: Un berger masqué conduisant des chèvres à têtes humaines entre deux marées...

Y croyez-vous? je ne sais pas.

S'il existait sur la terre d'autres êtres que nous, comment ne les connaîtrions-nous point depuis longtemps; comment ne les auriez-vous pas vus, vous? et moi?

Est-ce que nous voyons la cent-millième partie de ce qui existe? Tenez: voici le vent, qui est la plus grande force de la nature, le vent qui tue, qui siffle, qui gémit, qui mugit. L'avez-vous vu et pouvez-vous le voir? Il existe, pourtant.

Je me tus devant ce simple raisonnement. Cet homme était un sage ou peut-être un sot, je n'aurais pu l'affirmer. Mais ce qu'il disait là, je l'avais pensé souvent.

— 37 —

3 JUILLET- J'ai mal dormi ; certes il y a ici une influence fièvreuse, car mon cocher souffre du même mal que moi. En rentrant hier, j'avais remarqué sa pâleur singulière...

Qu'est-ce que vous avez Jean?

J'ai que je ne peux plus me reposer, Monsieur, ce sont mes nuits qui mangent mes jours. Depuis le départ de Monsieur, cela me tient comme un sort.

Les autres domestiques vont bien, mais j'ai grand peur d'être repris, moi.

4 JUILLET- Décidément, je suis repris. Mes cauchemars anciens reviennent. Cette nuit, j'ai senti quelqu'un accroupi sur moi et qui buvait ma vie entre mes lèvres, comme une sangsue. Puis il s'est levé, repu, et moi, je me suis réveillé, brisé, meurtri. Si cela continue encore quelque temps, je repartirai certainement...

5 JUILLET- Ai-je perdu la raison? Ce qui s'est passé la nuit dernière est tellement étrange que j'y songe!

J'avais fermé ma porte à clef. Puis, ayant soif, je bus un demi-verre d'eau ; ma carafe était pleine jusqu'au bouchon.

Je me couchai ensuite et je tombai dans un de mes sommeils épouvantables...

Figurez-vous un homme qui dort, qu'on assassine, et qui se réveille, couvert de sang, ne pouvant plus respirer et qui ne comprend pas — voilà —

Ayant enfin reconquis ma raison, j'eus soif de nouveau ; Mais rien ne coula de la carafe. Elle était VIDE! Abattu, je la contemplais : Qui avait donc bu cette eau? Moi? Ça ne pouvait être que moi! Alors j'étais somnambule et je vivais sans le savoir, de cette double vie mystérieuse qui fait douter s'il y a deux êtres en nous, dont l'un est captif de l'autre, quand notre âme est engourdie.

Ah! qui comprendra mon angoisse abominable! Qui comprendra l'émotion d'un homme sain d'esprit qui regarde épouvanté le cristal d'une carafe vidée de son eau pendant qu'il dormait!...

6 JUILLET- Je deviens fou! On a encore bu toute ma carafe cette nuit : Mais est-ce moi? Qui? Je deviens fou! Qui me sauvera?

10 JUILLET- Je viens de faire des épreuves surprenantes. Avant de me coucher, j'ai placé sur ma table du vin, du lait, de l'eau, du pain et des fraises.

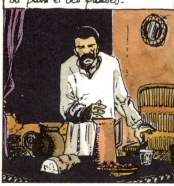

On a bu — j'ai bu — toute l'eau, et un peu de lait. On m'a touché ni au vin ni aux fraises...

Le 7 juillet, même épreuve, même résultat. Le 8 juillet, j'ai supprimé l'eau et le lait. On n'a touché à rien...

Le 9 juillet, enfin, j'ai remis l'eau et le lait ; seulement en ayant soin d'envelopper les carafes de mousseline blanche et j'ai frotté mes lèvres et mes mains avec de la mine de plomb...

...et je me suis couché.

Au réveil, je n'avais point remué ; mes draps ne portaient pas de taches... le linge enfermant les bouteilles était immaculé... Mais où avait tout bu!

Je vais partir tout à l'heure pour Paris.

Guillaume Berteloot 86

5

— 38 —

Paris - J'avais donc perdu la tête les jours derniers - Je suis peut-être somnambule, mais en tout cas, vingt-quatre heures de Paris ont suffi pour me remettre d'aplomb.

Je suis rentré à l'hôtel très gai. Au coudoiement de la foule, je songeai à mes terreurs - Quand on me comprend pas, on imagine aussitôt des mystères effrayants - Stupide!

14 Juillet - Fête de la République - Je me suis amusé comme un enfant parmi les pétards et les drapeaux - C'est pourtant fort bête d'être joyeux, à dates fixes, par décret - Mais le peuple est un troupeau imbécile qui fait ce qu'on lui dit...

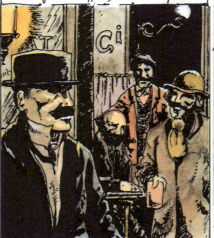

Hier, j'ai fini ma soirée au Théâtre-Français. La pièce d'Alexandre Dumas fils a achevé de me guérir -

Et ceux qui le dirigent sont aussi sots: Dans ce monde fait d'illusions, ils obéissent à des principes stériles et faux j.

16 Juillet - J'ai vu hier des choses qui m'ont beaucoup troublé...

Il nous raconta longuement les résultats prodigieux de ces diverses expériences, et cela me parut tellement bizarre, que je me déclarai incrédule -

...par son intelligence à l'impuissance de ses organes; je veux parler de ces mystères impénétrables qui le frôlent et le dépassent -

Nous sommes sur le point de découvrir un des plus importants secrets de la nature sur cette terre - Depuis que l'homme pense, il tâche de suppléer...

A l'état primitif, ces mystères deviennent croyances surnaturelles, tels que gnomes et même Dieu...

Je dînais chez ma cousine, Mᵐᵉ Sablé, et parmi les invités se trouvaient deux jeunes femmes dont l'une a épousé un médecin, le docteur Parent, qui s'occupe beaucoup des maladies nerveuses et des expériences sur l'hypnotisme.

Oui, Dieu - Nos conceptions de l'ouvrier-créateur sont d'une stupidité et d'une médiocrité!..... Voltaire a dit: "Dieu a fait l'homme à son image mais l'homme le lui a bien rendu". C'est vrai!

Ma cousine, très incrédule aussi, souriait...

Il commença à la regarder fixement en la fascinant. Moi, je me sentis soudain un peu troublé, le cœur battant, la gorge serrée. Elle s'endormit...

Et je m'assis derrière elle. Il lui plaça entre les mains une carte de visite...

Mais nous pressentons quelque chose de nouveau: Depuis quatre ou cinq ans, nous sommes arrivés à des résultats surprenants.

Voulez-vous que j'essaie de vous endormir, Madame?

Oui, je veux bien.

Mettez-vous derrière elle.

Ceci est un miroir - Que voyez-vous dedans?

Je vois mon cousin...

Guillaume Berthelot 86   6

Que fait-il ?

Il se tord la moustache.

Et maintenant ?

Il tire de sa poche une photographie.

Quelle est-elle ?

La sienne.

C'était vrai ! Et cette photographie venait de m'être livrée le soir même, à l'hôtel.

Elle décrivit le portrait comme si ce carton blanc fût effectivement une glace !

Vous vous lèverez demain à huit heures ; puis vous irez trouver votre cousin et vous le supplierez de vous prêter cinq mille francs que votre mari vous demande et vous réclamera bientôt.

Puis il la réveilla.

En rentrant, des doutes m'assaillirent : non point à propos de la totale bonne foi de ma cousine, mais plutôt envers le docteur que je soupçonnais de s'être livré à un tour de prestidigitateur...

Elle vint pourtant ce matin, vers huit heures et demie ; Elle paraissait fort troublée et ne leva même pas son voile.

Mon cher cousin, j'ai un gros service à vous demander...

Lequel, ma cousine ?

Cela me gêne beaucoup de vous le dire, et pourtant il le faut. J'ai absolument besoin de cinq mille francs.

Allons donc, vous ?

Oui, moi ; ou plutôt mon mari qui me charge de les trouver.

J'étais tellement stupéfait que je balbutiai mes réponses. Je me demandais si elle n'était pas en train de me jouer une farce, complice du docteur Parent...

Mais en la regardant avec attention, mes doutes se dissipèrent. Elle tremblait d'angoisse, sa gorge était pleine de sanglots. Je la savais fort riche...

Comment ! votre mari n'a pas cinq mille francs à sa disposition ! Voyons, réfléchissez : Etes-vous sûre qu'il vous a chargée de me les demander ?

Elle hésita à répondre : Il lui avait écrit, mais elle avait brûlé la lettre (donc elle mentit). Je lui dis que je ne disposais pas de cinq mille francs. Mais elle supplia, harcelée qu'elle était par l'ordre reçu. J'eus pitié d'elle et lui promis l'argent...

Pourtant, elle se souvenait avoir été endormie par le docteur Parent, mais elle ne voulait pas croire que c'était lui qui lui avait donné cet ordre. Je ne pus la convaincre.

Quand elle fut partie, je courus chez le docteur ; il m'écouta en souriant, puis il dit :

Croyez-vous maintenant ?

Oui, il le faut bien.

Allons chez votre parente.

Elle était accablée de fatigue. Le médecin la regarda quelque temps et elle s'endormit sous l'effort insoutenable de cette puissance magnétique.

Votre mari n'a plus besoin de cinq mille francs. Vous allez donc oublier...

...que vous avez prié votre cousin de vous les prêter et s'il vous parle de cela, vous ne comprendrez pas.

Puis il la réveilla. Je tirai de ma poche un portefeuille...

Voici, ma chère cousine, ce que vous m'avez demandé ce matin.

Elle fut tellement surprise, que je n'osai pas insister. J'essayai cependant de ranimer sa mémoire, mais elle nia avec force et faillit, à la fin, se fâcher.

Guillaume Berteloot

7

Voilà ! Je suis rentré bouleversé et ceux à qui j'ai raconté cela se sont moqués de moi. Le 21 juillet, j'ai passé la soirée au bal des canotiers. Pas de surnaturel ici ; En fait, nous subissons effroyablement l'influence de ce qui nous entoure...

D'APRÈS RENOIR

30 JUILLET - 2 AOUT — Tout va bien. 4 AOUT — Querelles parmi mes domestiques : "on casse les verres, la nuit, dans les armoires..."

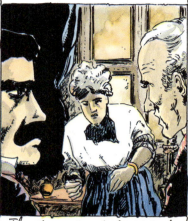

Ils s'accusent mutuellement. Quel est le coupable ? Bien fin qui le dirait !

6 AOUT - Cette fois, je ne suis pas fou. J'ai vu... j'ai vu !... Je ne puis plus douter... Je me promenais dans mon parterre de rosiers, au soleil...

J'ai vu distinctement la tige d'une rose se plier, se casser, puis s'élever, comme vers une bouche invisible...

Éperdu, je me jetai sur elle pour la saisir, mais elle avait disparu !

Et ce n'était pas une hallucination : je retrouvai la tige brisée sur l'arbuste, entre les deux autres roses...

Je suis certain, maintenant, qu'un être invisible existe près de moi, qui se nourrit de lait et d'eau, peut toucher aux choses, et est doué d'une nature matérielle, bien qu'imperceptible par nos sens — Je me demande si je suis fou...

Le 7 août, en me promenant, des doutes précis, absolus me sont venus sur ma raison. J'ai vu des fous ; certains restaient intelligents, pour tout, sauf sur un point de pensée, celui-là même qui était touché par ce qu'on nomme la démence. Mais moi, je suis conscient...

... j'analyse mon état avec une parfaite lucidité. Je ne serais qu'un halluciné raisonnant, puisque nous localisons toutes les parcelles de la pensée et il semble que chez moi, cette faculté de contrôler l'irréalité de certaines hallucinations soit engourdie.

Je songeais à tout cela lorsque peu à peu, un malaise me pénétra ; une force me poussait à revenir en arrière et j'étais sûr que j'allais trouver quelque chose de terrible en rentrant à la maison...

Mais il n'y avait rien ; et je demeurai plus surpris et plus inquiet que si j'avais eu quelqu'autre vision fantastique !

8 AOUT — J'ai passé hier une affreuse soirée — Il ne se manifeste plus mais je le sens près de moi, m'épiant, me regardant, et plus redoutable ainsi qu'en se montrant directement.

11 AOUT — Je veux partir. 12 AOUT — 10 heures du soir — Tout le jour, j'ai voulu m'en aller ; je n'ai pas pu. Cet acte pourtant simple — partir à Rouen — je n'ai pas pu — Pourquoi ?

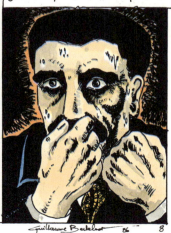

Guillaume Barbelot 86

8

13 AOUT - Je suis brisé. Je le sens dans mon être moral d'une façon étrange et désolante. Je ne peux plus vouloir; mais quelqu'un veut pour moi, et j'obéis...

Je suis perdu! Quelqu'un possède mon âme et la gouverne!

Je ne suis plus rien en moi; je désire sortir. Je ne peux pas. Il ne veut pas et je reste cloué dans le fauteuil où il me tient assis. Puis, tout d'un coup, il faut que j'aille cueillir des fraises. Et j'y vais! Oh! Mon Dieu! Sauvez-moi!

15 AOUT - Certes voilà comment était possédée ma pauvre cousine. Elle était gouvernée, comme moi, par un invisible...

Donc, les Invisibles existent! Mais qui sont-ils? OH! Si je pouvais quitter ma maison! Je serais sauvé, mais je ne peux pas.

16 AOUT - J'ai pu m'échapper aujourd'hui! Je suis allé à Rouen, puis à la bibliothèque pour emprunter le traité du docteur H. Herestauss sur les habitants du monde inconnu. Mais au moment de remonter dans mon coupé, j'ai crié tellement fort "A la maison"!! que j'ai su tout de suite qu'Il m'avait retrouvé et repris.

17 AOUT - Ah! quelle nuit! Et pourtant, je devrais me réjouir. J'ai lu le traité jusqu'à une heure du matin! H. Herestauss décrit la puissance et l'origine de tous les êtres invisibles. Mais aucun d'eux ne ressemble à celui qui me hante.

J'ai été ensuite près de ma fenêtre ouverte pour me rafraîchir. Pas de lune. Des étoiles avaient au fond du ciel noir des scintillements frémissants. Qui habite ces mondes? Qui y-a-t-il là-bas? Que peuvent-ils plus que nous? Un d'eux ne va-t-il pas venir?

Au bout d'un moment, je regardai le livre resté ouvert sur ma table. Je ne vis rien d'abord, puis il me sembla qu'une page venait de tourner toute seule. Puis je vis, distinctement cette fois, une autre page se tourner: Il était là, Lui, et il lisait; D'un bond furieux je traversai ma chambre pour le saisir, pour le tuer!... Mais ma table oscilla, ma lampe s'éteignit et ma fenêtre se ferma comme si un malfaiteur surpris se fût élancé dans la nuit.

Donc, il s'était sauvé; il avait eu peur, peur de moi, lui! Alors... alors... demain... ou plus tard... je pourrai donc le tenir, l'écraser contre le sol! Quelquefois, les chiens ne mordent-ils pas leurs maîtres?

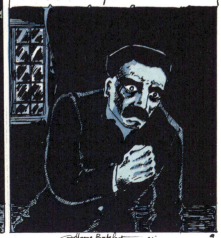

Qu'ai-je donc ? C'est lui, le Horla ! Je le tuerai !

19 AOUT - Je le tuerai. Je l'ai vu. Je me suis assis hier soir à ma table. Je faisais semblant d'écrire. Je savais bien qu'il viendrait rôder autour de moi ; et alors, je pourrai le saisir et le tuer !...

Je le guettais...

J'avais fermé ma porte avec soin, après l'avoir laissée longtemps ouverte, afin de l'attirer. J'avais allumé mes deux lampes et les huit bougies de ma cheminée, comme si j'eusse pu, dans cette clarté, le découvrir.

Donc, je faisais semblant d'écrire, pour le tromper, car il m'épiait, lui aussi...

Et soudain, je sentis, je fus certain qu'il lisait par dessus mon épaule, qu'il était là.

Je me dressai, les mains tendues, si vite que je faillis tomber. Eh ! bien ?... On y voyait comme en plein jour et je ne me vis pas dans la haute armoire à glace qui était derrière moi !

Affolé, je n'osais plus faire un mouvement, sentant pourtant qu'il était là, mais qu'il m'échapperait encore ; il avait dévoré mon reflet. Puis tout à coup, je m'aperçus dans une brume, au fond du miroir, et lentement mon image réapparut...

Je pus enfin me distinguer complètement, ainsi que je le fais chaque jour en me regardant.

20 AOUT - le tuer, comment ? Par le poison ? Mais nos poisons auraient-ils un effet sur lui ? Non sans aucun doute... Alors ?... Alors ?...

21 AOUT - J'ai fait venir un serrurier de Rouen, et lui ai commandé des persiennes et une porte de fer pour ma chambre. Je me suis donné pour un poltron, mais je m'en moque !...

10 SEPTEMBRE - Rouen, hôtel Continental. C'est fait... Mais est-il mort ? J'ai l'âme bouleversée de ce que j'ai vu.
Hier, donc, le serrurier ayant fait ce que je voulais, j'ai tout laissé ouvert jusqu'à minuit...

Tout à coup, j'ai senti qu'il était là, et une joie folle m'a saisi. J'ai marché négligemment pour qu'il ne devinât rien. Puis j'ai fermé ma persienne de fer, puis ma porte, à double tour, et fixé la fenêtre par un cadenas.

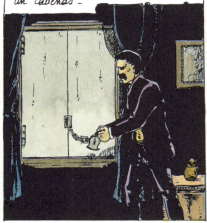

Tout à coup, je compris qu'il s'agitait autour de moi, qu'il m'ordonnait de lui ouvrir. Il avait peur à son tour. Je faillis céder ;...

Je ne cédai pas, mais m'adossant à la porte, je l'entrebâillai, tout juste assez pour passer, moi, à reculons. J'étais sûr qu'il n'avait pu s'échapper et je l'enfermai tout seul, tout seul !

Quelle joie ! Je le tenais ! Alors je descendis en courant et renversai toute l'huile de mes lampes dans le salon, sous ma chambre et j'y mis le feu.

Et je me sauvai, après avoir refermé à double tour la grande porte d'entrée. Et j'allai me cacher au fond de mon jardin. Comme ce fut long ! Tout était noir, muet. Je croyais déjà le feu éteint, seul, ou Lui l'avait éteint.

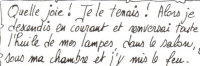

...Soudain une des fenêtres d'en bas creva sous la poussée de l'incendie, et une longue flamme molle, caressante, monta le long du mur jusqu'au toit....

Une lueur courut dans les arbres, un frisson de peur aussi. Il me sembla que le jour se levait ! Tout le bas de ma demeure n'était plus qu'un effrayant brasier. Mais un cri, un cri horrible, suraigu, un cri de femme passa dans la nuit : J'avais oublié mes domestiques !

Alors, éperdu d'horreur, je me mis à courir vers le village. Je rencontrai des gens qui s'en venaient déjà et je retournai avec eux pour voir—

Au secours ! au secours ! au feu ! au feu !

La maison, maintenant, n'était plus qu'un bûcher terrible et magnifique, où brûlaient des hommes et où il brûlait aussi, Lui, Lui, mon prisonnier, l'Être nouveau, le nouveau maître, le Horla !

Soudain, le toit tout entier s'engloutit entre les murs et un volcan de flammes jaillit jusqu'au ciel. Par toutes les fenêtres ouvertes sur la fournaise, je voyais la cuve de feu et je pensais qu'il était là, mort—

12

Mort ? Peut-être ?... Son corps ? son corps que le jour traversait n'était-il pas indestructible par les moyens qui tuent les nôtres ?...

S'il n'était pas mort ? ... Seul peut-être le temps a prise sur l'Être Invisible et Redoutable - Pourquoi ce corps transparent, ce corps d'Esprit, s'il devait craindre, lui aussi, les maux, les blessures, la destruction prématurée ?

La destruction, prématurée ? Toute l'épouvante humaine vient d'elle ! Après l'homme, le Horla — Après celui qui peut mourir tous les jours, à toutes les heures, est venu celui qui ne doit mourir qu'à son jour, qu'à son heure parce qu'il a touché la limite de son existence !

Non, non... Sans aucun doute, sans aucun doute... il n'est pas mort... Alors... alors... il va donc falloir que je me tue, moi !

13.

— 46 —

DOCUMENTATION

AUX CHAMPS

Maupassant s'est souvent plu à peindre le milieu rural, la campagne normande où s'est déroulée son enfance. Il nous fait connaître les coutumes des paysans et leur mentalité, en nous narrant d'humbles drames auxquels il a pu, de près ou de loin, se trouver lui-même mêlé.

L'histoire racontée dans *Aux Champs* a probablement été inspirée par des faits réels, survenus dans l'une ou l'autre des familles de ses camarades de jeux, bien que le dénouement semble un peu brutal et artificiel.

En 1880, l'aide sociale à l'enfance et les œuvres d'adoption n'existaient pas. On élevait les enfants que l'on avait, et l'on avait ceux que l'on pouvait. Les d'Hubières connaissent les affres de la stérilité, tandis que, dans d'autres nouvelles, Maupassant montre les souffrances des filles-mères *(Histoire d'une fille de ferme)* ou des enfants sans père *(Le papa de Simon)*.

Le marché que M. d'Hubières passe avec les Vallin pourrait être comparé à la négociation entre le père Sorel et M. de Rênal, dans *Le Rouge & le Noir* (livre I, chapitre 5). Mais, à la différence de Stendhal, Maupassant ne manifeste aucune sympathie ou antipathie personnelle pour les êtres qu'il met en scène. Il se contente de décrire et de rapporter des faits ou des propos, avec un maximum de réalisme ; il reprend le vocabulaire et les tournures du patois normand dont, par une orthographe pittoresque, il restitue même la prononciation. Il ne juge pas ses personnages ; il se contente de les observer, et laisse au lecteur le soin de tirer les conclusions morales ou psychologiques, ou même d'imaginer une suite...

LES PRISONNIERS

La guerre de 1870 a profondément marqué Maupassant. Dans plusieurs de ses nouvelles, il relate, sous une forme romancée, des faits divers vécus, que l'Histoire aurait sans doute oubliés, mais que l'art du conteur présente comme des anecdotes dignes de passer à la postérité.

Les récits tendent à mettre en valeur le patriotisme, on pourrait même dire que l'héroïsme des gens humbles, un héroïsme qui souvent s'ignore lui-même et semble être plus instinctif que réfléchi.

Certains contes sont parfois durs, atroces, comme *Le Père Milon* ou *La Mère Sauvage,* celle-ci incendiant une ferme pour brûler vifs les occupants, celui-là égorgeant des uhlans. D'autres se contentent de susciter, chez le lecteur, une émotion tendre, de la pitié simple, comme dans *Les Deux Amis,* où le drame de deux civils préférant être fusillés plutôt que de trahir un mot de passe, laisse une impression de tristesse et d'admiration, sentiments qui sont ici étrangement indissociables. D'autres, enfin, font appel à l'humour, voire au comique.

L'aventure de Walter Schnaffs, par exemple, où un jeune homme cherche à se constituer prisonnier pour être à l'abri des périls de la guerre, est bouffonne. Dans *Saint-Antoine,* où un paysan s'amuse à engraisser un Prussien comme il le fait avec ses porcs et finit par l'assassiner un soir d'ivresse, on passe brusquement de la farce burlesque au réalisme macabre.

Avec *Les Prisonniers,* enfin, on trouve un peu de tout : l'émotion, à cause du double danger que représente, pour les femmes seules, la proximité des loups et des Prussiens ; le suspense, savamment ménagé, tout au long de la narration ; le réalisme, jusque dans les dialogues où, par l'orthographe, Maupassant restitue la prononciation allemande du français ; l'héroïsme simple de Berthine ; l'humour dans la ruse et les propos échangés ; et, enfin, le « happy-end » satirique.

Maupassant relate des faits, d'une façon objective, sans parti pris et dans un style très sobre. Il ne plaide pour rien ni pour personne. Il raconte.

MA FEMME

Fils de parents désunis, Maupassant ne s'est jamais marié. A la fin du siècle dernier, les mariages d'amour étaient rares, et presque uniquement du domaine de la littérature romanesque. Dans la réalité, telle que la voyait et voulait la dépeindre Maupassant, les jeunes gens sortaient avec des jeunes filles de mœurs libres, qu'ils n'épousaient pas ; et ils épousaient des jeunes filles de bonne famille, avec lesquelles ils n'étaient jamais sortis. La réussite et le bonheur d'une union dépendaient donc essentiellement de la sagesse des parents qui opéraient le choix, ou alors du hasard.

Dans *Ma femme,* Maupassant montre, avec un humour plein de charme, comment ce hasard peut être particulièrement heureux, comment la Providence s'acharne à faire le bonheur des hommes, presque malgré eux.

Sur le même scénario, avec les mêmes personnages, d'aucuns auraient pu écrire une tragédie, un drame romantique ou un vaudeville. Maupassant a choisi de ne raconter qu'une anecdote preste, légère, enlevée, avec une pointe de suspense, un semblant de drame, un rien de vertu, et une forte dose de comique, un vrai comique de farce.

Maupassant a toujours aimé la compagnie des bons vivants, des plaisantins et des farceurs. Dans plusieurs nouvelles, il relate des mystifications de plus ou moins bon goût. Dans *Une farce,* il montre comment l'on peut être à la fois l'auteur et la victime d'un mauvais tour. Dans *Ma femme,* c'est une situation du même genre qui provoque à la fois le drame et le rire. De plus, les personnages sont stylisés, presque caricaturés, pour le plus grand plaisir des lecteurs qui apprécieront ce récit original et savoureux.

LE HORLA

Hervé de Maupassant, le frère cadet de Guy, était mort fou à l'âge de trente-trois ans. Peu après, l'écrivain commença à souffrir de troubles nerveux ; et les drogues ne firent qu'aggraver le mal. C'est cette maladie, à la fois physique et psychique, que Maupassant décrit, d'une manière presque clinique, dans sa nouvelle *Le Horla.*

La titre provient du nom d'un ballon captif à bord duquel Maupassant avait effectué une ascension au-dessus de la région parisienne. Peut-être l'auteur a-t-il éprouvé, au cours de sa maladie, des vertiges et des angoisses comparables à ceux que lui avaient occasionnés son voyage dans les airs. Peut-être encore a-t-il attribué à cette ascension la cause de sa maladie. Peut-être enfin la névrose, comme le ballon, le conduisait-elle à planer au-dessus du réel tout en demeurant dans la réalité... Car *Le Horla* est une nouvelle qui appartient au genre fantastique ; c'est également un récit dominé par la peur.

L'épouvante, provoquée par des situations inexplicables, des phénomènes mystérieux, souvent liés au silence et à la nuit, est un thème que l'on retrouve dans plusieurs nouvelles de Maupassant (*Cauchemar, Apparition,* etc.). Mais *Le Horla,* par la précision des détails et la progression du récit, est certainement la plus réussie. Ce texte, tant par le fond que par la forme, permet de situer Maupassant dans la grande lignée des conteurs fantastiques du XIXe siècle, comme Charles Nodier, Edgar Poe, Prosper Mérimée, et bien d'autres que l'on peut considérer comme les précurseurs du surréalisme.

Le Horla a fait l'objet d'une étude approfondie, très intéressante, claire et bien présentée, publiée aux éditions Hatier, dans la collection « Profil d'une œuvre ».

Table des matières